《汉语风》中文分级系列读物 第 2 级：500 词级
Chinese Breeze Graded Reader Series, Level 2: 500 Word Level

主编 刘月华 储诚志

māma hé érzi
妈妈和儿子
Mother and Son

原创 王灵书
Yuehua Liu and Chengzhi Chu
with Lingshu Wang

北京大学出版社
PEKING UNIVERSITY PRESS

图书在版编目(CIP)数据

妈妈和儿子 /刘月华，储诚志主编. —北京：北京大学出版社，
2009.10
(《汉语风》中文分级系列读物.第2级:500 词级)
ISBN 978-7-301-15673-5

Ⅰ.妈…　Ⅱ.① 刘…② 储…　Ⅲ.汉语-对外汉语教学-语言读
物　Ⅳ.H195.4

中国版本图书馆 CIP 数据核字(2009)第 145634 号

书　　　名:妈妈和儿子
著作责任者:刘月华　储诚志　主编
　　　　　　王灵书　原创
　　　　　　王萍丽　练习编写
责 任 编 辑:李　凌
封 面 设 计:杨　柳
标 准 书 号:ISBN 978-7-301-15673-5/H·2296
出 版 发 行:北京大学出版社
地　　　址:北京市海淀区成府路 205 号　100871
网　　　址:http://www.pup.cn
电　　　话:邮购部 62752015　发行部 62750672
　　　　　　编辑部 62754144　出版部 62754962
电 子 信 箱:zpup@pup.pku.edu.cn
印 　刷 　者:北京大学印刷厂
经 　销 　者:新华书店
　　　　　　850毫米×1168毫米　32 开本　2.75 印张　34 千字
　　　　　　2009 年 10 月第 1 版　2010 年 10 月第 2 次印刷
定　　　价:16.00 元(含 1 张录音 CD)

刘月华

　　毕业于北京大学中文系。原为北京语言学院教授，1989年赴美，先后在卫斯理学院、麻省理工学院、哈佛大学教授中文。主要从事现代汉语语法，特别是对外汉语教学语法研究。近年编写了多部对外汉语教材。主要著作有《实用现代汉语语法》（合作）、《趋向补语通释》、《汉语语法论集》等，对外汉语教材有《中文听说读写》（主编）、《走进中国百姓生活——中高级汉语视听说教程》（合作）等。

储诚志

　　夏威夷大学博士，戴维斯加州大学东亚语文系中文部主任，校第二语言习得研究所执行理事，语言学系研究生（硕博士）导师组成员。主要专业兼职为全美中文教师学会常务理事和加州中文教师协会副会长。曾在斯坦福大学、北京语言学院等学校任教多年。研究领域为汉语语言学，认知语义学，汉语L2的教学和习得，语料库和计量语言学，以及电脑技术在汉语教学中的应用。发表中英文学术论文20余篇，专著《位移事件在中文里的认知和表达》即将出版；主持完成"汉语中介语语料库系统"和中文L2教材编写软件"中文助教（ChineseTA）"等多个中文L2研究项目。

王灵书

　　高级记者，中国作家协会会员，中国报告文学学会会员。主要作品有长篇报告文学《失落的小太阳》，爱情专著《爱的寻觅》，社会问题专著《当代警世通言》，家教专著《走出中国家教盲区》，女性问题专著《半个世界咏叹调》、《女性百味人生》，报告文学集《明星写真》，专访特写集《名人探秘》，新闻专著《新闻竞争的"秘密武器"》等。

Yuehua Liu

A graduate of the Chinese Department of Peking University, Yuehua Liu was Professor in Chinese at the Beijing Language and Culture University. In 1989, she continued her professional career in the United States and had taught Chinese at Wellesley College, MIT, and Harvard University for many years. Her research concentrated on modern Chinese grammar, especially grammar for teaching Chinese as a foreign language. Her major publications include *Practical Modern Chinese Grammar* (co-author), *Comprehensive Studies of Chinese Directional Complements*, and *Writings on Chinese Grammar* as well as the Chinese textbook series *Integrated Chinese* (chief editor) and the audio-video textbook set *Learning Advanced Colloquial Chinese from TV* (co-author).

Chengzhi Chu

Ph.D., University of Hawaii. Chu is Associate Professor and Coordinator of the Chinese Language Program at the University of California, Davis, where he also serves on the Executive Board of the Second Language Acquisition Institute and is a member of the Graduate Faculty Group of Linguistics. He is a board member of the Chinese Language Teachers Association (USA) and Vice President of the Chinese Language Teachers Association of California. He taught at Stanford University and Beijing Language and Culture University for many years. He has published more than 20 articles on topics in Chinese linguistics, Chinese pedagogy, and cognitive semantics, and has a forthcoming book on motion conceptualization and representation in Chinese. He was PI of two major software projects in Chinese pedagogy and acquisition: *Chinese TA* and the *Corpus of Chinese Interlanguage*.

Lingshu Wang

Senior reporter, a professional writer, and a member of All-China Writers Association and Chinese Reportage Association, Wang has written widely on social issues of modern China. His literary and research works include *The Fallen Little Sun*, *Looking for Love*, *Get out of the Blind Area of Private Tutoring*, *An Aria for the Half-World*, *A Portrait of Stars*, *About Men of Mark*, and *Secret Weapons on the Arena of Journalism*.

前　　言

学一种语言,只凭一套教科书,只靠课堂的时间,是远远不够的。因为记忆会不断地经受时间的冲刷,学过的会不断地遗忘。学外语的人,不是经常会因为记不住生词而苦恼吗?一个词学过了,很快就忘了,下次遇到了,只好查词典,这时你才知道已经学过。可是不久,你又遇到这个词,好像又是初次见面,你只好再查词典。查过之后,你会怨自己:脑子怎么这么差,这个词怎么老也记不住!其实,并不是你的脑子差,而是学过的东西时间久了,在你的脑子中变成了沉睡的记忆,要想不忘,就需要经常唤醒它,激活它。《汉语风》分级读物,就是为此而编写的。

为了"激活记忆",学外语的人都有自己的一套办法。比如有的人做生词卡,有的人做生词本,经常翻看复习。还有肯下苦工夫的人,干脆背词典,从 A 部第一个词背到 Z 部最后一个词。这种精神也许可嘉,但是不仅痛苦,效果也不一定理想。《汉语风》分级读物,是专业作家专门为《汉语风》写作的,每一本读物不仅涵盖相应等级的全部词汇、语法现象,而且故事有趣,情节吸引人。它使你在享受阅读愉悦的同时,轻松地达到了温故知新的目的。如果你在学习汉语的过程中,经常以《汉语风》为伴,相信你不仅不会为忘记学过的词汇、语法而烦恼,还会逐渐培养出汉语语感,使汉语在你的头脑中牢牢生根。

《汉语风》的部分读物出版前曾在华盛顿大学(西雅图)、Vanderbilt大学和戴维斯加州大学的六十多位学生中试用。感谢这三所大学的毕念平老师、刘宪民老师和魏苹老师的热心组织和学生们的积极参与。夏威夷大学的姚道中教授、戴维斯加州大学的李宇以及博士生 Ann Kelleher 和Nicole Richardson 对部分读物的初稿提供了一些很好的编辑意见,李宇和杨波帮助建立《汉语风》网站,在此一并表示感谢。

Foreword

When it comes to learning a foreign language, relying on a set of textbooks or time spent in the classroom is never nearly enough. That is because memory gets eroded by time; one keeps forgetting what one has learned. Haven't we all been frustrated by our inability to remember new vocabulary? One learns a word and quickly forgets it, so next time when one comes across it one has to look it up in a dictionary. Only then does one realize that one used to know it, and so one keeps having to look it up in a dictionary, and one starts to blame oneself, "why am I so forgetful?" when in fact, it's not your shaky memory that's at fault, but the fact that unless you review constantly, what you've learned quickly becomes dormant. The *Chinese Breeze* graded series is designed specially to help you remember what you've learned.

Everyone learning a second language has his or her way of jogging his or her memory. For example, some people make index cards or vocabulary notebooks so as to thumb through them frequently. Some simply try to go through dictionaries and try to memorize all the vocabulary items from A to Z. The spirit may be laudable, but it is a painful process, but the results are far from being sure. *Chinese Breeze* is a series of graded readers purposely written by professional authors. Each reader not only incorporates all the vocabulary and grammar specific to the grade but also an interesting and absorbing plot. It enables you to refresh and reinforce your knowledge while at the same time having a pleasurable time with the story. If you make *Chinese Breeze* a constant companion in your studies of Chinese, you won't have to worry about forgetting your vocabulary and grammar. You will also develop your feel for the language and make Chinese firmly rooted in your mind.

Thanks are due to Nyan-ping Bi, Xianmin Liu, and Ping Wei for arranging more than sixty students to field-test several of the readers in the *Chinese Breeze* series. Professor Tao-chung Yao at the University of Hawaii, Ms. Yu Li and Ph.D. students Ann Kelleher and Nicole Richardson of UC Davis provided very good editorial suggestions. Yu Li and Bo Yang helped build the *Chinese Breeze (Hanyu Feng)* websites. We thank our colleagues, students, and friends for their support and assistance.

主要人物和地方名称
Main Characters and Main Places

刘新远 Liú Xīnyuǎn

an old lady; a retiree

李大水 Lǐ Dàshuǐ

Liu Xinyuan's son who was addicted to computer games in high school

北京 Běijīng: Beijing

新新医院 Xīnxīn Yīyuàn: Beijing Xinxin Hospital

目　录
Contents

1. 儿子出走了 The son ran away from home

.... 1

2. 在家里,妈妈哭红了眼睛

At home, the mother's eyes were red from weeping

在外边,儿子玩得很高兴

Outside, the son enjoyed playing around

.... 10

3. 在北京,妈妈家不换电话号码

In Beijing, the mother would not change her phone number

在外边,儿子想给妈妈打电话

Outside, the son wanted to call his mother

.... 18

4. 在北京,妈妈和老同学见面后很快就想回家

In Beijing, the mother hurried back home from the reunion with her classmates

在外边,儿子当服务员洗碗真的很累很难

Outside, the son was dog-tired at washing dishes in a restaurant

.... 24

5. 在北京,妈妈为了儿子不换房子

In Beijing, the mother would not change her house

在外边,儿子没工作只能要饭

Outside, the son lost his job and had to be a beggar

.... 31

6. 在北京,妈妈为了儿子不去旅行

In Beijing, the mother would not travel

在外边,儿子生病差一点死了

Outside, the son almost died of sickness

·· 39

7. 在北京,妈妈想儿子

In Beijing, the mother was missing her son

在外边,儿子想妈妈

Outside, the son was missing his mother

·· 44

8. 儿子长大了 The son grew up

·· 50

生词索引 Vocabulary index

·· 54

练习 Exercises

·· 57

练习答案 Answer keys to the exercises

·· 64

1. 儿子[1] 出走[2] 了

李大水离[3]家出走[2]了。

事情是这样的。

刚上高中[4]一年级的时候，李大水爱上了电脑游戏[5]。每天回家以后，他就把学习的事忘了，很高兴地坐在电脑前玩儿，一直玩儿到晚上 11 点还不想睡觉。他妈妈刘新远很着急[6]，不知道说了他多少次，可他就是[7]不听。

九月的一个星期五，17 岁的李大水玩儿了一个晚上的电脑游戏[5]，他妈妈第二天早上起床的时候，看见他还在电脑前边坐着。妈妈就很不高兴地说："我跟你说过很多次了，你每天玩儿电脑游戏[5]，常常晚上不睡觉，这

1. 儿子 érzi: son
2. 出走 chūzǒu: run away (from home)
3. 离(家) lí(jiā): leave (home)
4. 高中 gāozhōng: senior high school
5. 游戏 yóuxì: game
6. 着急 zháo jí: be anxious, worry
7. 就是(不) jiùshì(bù): still (not)

会影响⁸学习，影响⁸身体的。我说你，你也不听，你真是太差了！不能再这样了！"

"星期五晚上多玩儿一会儿，星期六又不上学，可以多睡一会儿，没关系。"

"你不能这样一直玩儿了，你已经17岁了，你看看，比我还高。可是，看看你的学习！"

"我的学习怎么了？学习好不一定有好工作，学习不好，也不一定没有好工作。"

"你不能这样说。你是学生，就应该好好儿⁹学习。"

8. 影响 yǐngxiǎng：affect, influence
9. 好好儿 hǎohāor：all out

"我自己知道应该怎么做，不用你管¹⁰！"

"不用我管¹⁰？你离³开我一天都不行。"

"我离³开你一天都不行？我不信¹¹，就是⁷不信¹¹。"

"不信¹¹你就试试¹²。"

"试试¹²就试试¹²……"

妈妈对儿子¹说了这些很重¹³的话以后，两个人都很不愉快。

这一天，他们谁都没再说话。

第二天是星期天，他们还是不说话。

第三天是星期一。早上，刘新远起床一看，儿子¹不在了。她想孩子一定是上学¹⁴去了。

下午，时间已经不早了，儿子¹没有回来。等到晚上11点，儿子¹还是没有回来。刘新远觉得有问题了，她在儿子¹的房间里，看见电脑桌子

10. 管 guǎn：discipline, educate, control
11. 信 xìn：believe, trust
12. 试试 shìshi：have a try
13. 重（话）zhòng(huà)：harsh (words)
14. 上学 shàng xué：go to school

上的一本书里有一张纸¹⁵，儿子¹在上面写了一些字："我走了，你不要找我。我要是不比现在好，就不回来！"

刘新远知道，儿子¹出走²了，她非常着急⁶，一下子就站不起来了。

第二天，刘新远给学校的老师打了电话，告诉他们儿子¹离³家出走²了。

开始，刘新远以为儿子¹不会走远，就在北京。她想儿子¹大概是去什么地方玩儿电脑游戏⁵了，过几天就会回来。从这一天开始，刘新远去儿子¹可能去的每一个地方找，像附近的公园、电影院¹⁶，还有可以玩儿电脑游戏⁵的地方都去找了；儿子¹的几个好朋友和同学的家，也都去找了，但是没有找到儿子。

在北京的东南西北，她找了很多地方，但是都找不到儿子¹。刘新远又等了几天，儿子¹还是没有回来。这个孩子到哪儿去了呢？

她还找过警察¹⁷，请他们帮助找

---

15. 纸 zhǐ: paper
16. 电影院 diànyǐngyuàn: movie theater
17. 警察 jǐngchá: policeman

儿子 [1]。后来，刘新远又找了一些报纸、杂志，请他们想办法帮她找孩子。她还给住在别的 [18] 城市的朋友打了电话，寄了信，信里放了儿子 [1] 的照片，请他们帮助找。

一年多了，她的儿子 [1] 李大水还是没有找到。

李大水为什么因为一点小事就离 [3] 家出走 [2]？我告诉你们过去的一些事吧。

刘新远住在北京的东南，那是一个在老北京的时候就很有名的地方。那儿的人非常多、车非常多、商店也非常多，人们住的地方都不太大。但是，刘新远家住的地方不小，是一个院子 [19]，北边有五个房间，东边有三个房间，西边也有三个房间。这些房子，是爷爷奶奶给他们留下来 [20] 的。

刘新远58岁了，和我们国家城市里的很多女人一样，她已经不工作了。她身体不太好，儿子 [1] 走了以后，她就一个人住在那个院子 [19] 里。

18. 别的 biéde: other
19. 院子 yuànzi: courtyard
20. 留下来 liú xialai: hand down (as heritage)

刘新远以前在北京一家公司工作，她先生在一家银行工作。刘新远和先生是大学的同学，他们从 1975 年开始有了自己的小家，可是，一直没有孩子。到刘新远四十多岁的时候，才生了一个儿子 [1]，就是 [7] 李大水。大水上边没有哥哥姐姐，下边没有弟弟妹妹，他们一家三个人生活得很快乐。1995年，在银行工作的先生开车 [21] 的时候出了事 [22]，送到医院已经晚了，医生说他已经死了，医院没有办法了。从那个时候开始，家里少了一个人，只

21. 开车 kāi chē: drive (car)
22. 出事 chū shì: have an accident, meet with a mishap

有刘新远和五岁的儿子[1]。她常对儿子[1]说：你爸爸走了，儿子[1]啊，你就是[7]我的希望。

儿子[1]长得很像他的爸爸，刘新远很喜欢、很疼[23]儿子[1]。儿子[1]小的时候，早饭、午饭、晚饭，要吃什么，刘新远就准备什么，她自己不吃，也要给儿子[1]吃。

有一次是星期天，刘新远做了饭，儿子[1]不爱吃，他要吃苹果，刘新远就马上去买苹果。为了[24]儿子[1]，她不怕麻烦。每天儿子[1]吃完饭以后，还有什么她就吃什么，没有了，她就不吃。她想的只是儿子[1]。家里买了不少水果，饭前饭后，儿子[1]想吃就吃。有些水果李大水不爱吃了，就不要了，也想不到[25]给他妈妈吃。

刘新远的先生死后，家里就只有她一个人工作了。公司每个月给她的钱不太多，工作的时候有2600元，不工作了，只有2400元。但是，儿子[1]还要穿很贵很有名的衣服。

23. 疼(儿子) téng(érzi): be keen on, dote on
24. 为了 wèile: for the sake of; in order to
25. 想不到 xiǎng bu dào: do not expect

刘新远注意到，从李大水爱上了电脑游戏[5]以后，学习就不好了。每天回家以后，就坐在电脑前玩儿，老师和同学都说他上课不好好儿[9]听课，功课一天比一天差，特别是英文，听、说、写都不行。刘新远很着急[6]，每天都跟儿子说，应该注意了，希望他好好儿[9]学习。还告诉儿子："大水，你要知道，一个人能学习的时间不多，你看看住在我们家左边和右边的叔叔[26]、阿姨，他们工作以后都没有时间学习。虽然你正在长身体，不能太累。但是，你要记住，你学习一定要好，如果学习不好，以后找工作就麻烦了……"可是，儿子[1]就是[7]不听。他说："我是中国人，说的是汉语，中文都没有学好，为什么要学英文？再说[27]，学习不好，以后不一定就没有好工作。"刘新远每天说他，他还是不好好儿[9]学习，刘新远对儿子[1]一点儿办法都没有。

没过多长时间，就出了儿子[1]出走的事[22]。

26. 叔叔 shūshu：uncle
27. 再说 zàishuō：besides

那么，儿子出走以后，妈妈和儿子[1]怎么样了呢？让我们用电影里蒙太奇[28]的办法，说说后来的事。

Want to check your understanding of this part?
Go to the questions on page 57.

28. 蒙太奇 méngtàiqí: montage

2. 在家里，妈妈哭[29]红了眼睛
在外边，儿子[1]玩得很高兴

　　李大水出走[2]以后，刘新远的生活就跟以前不一样了。

　　过去她喜欢出去走走，现在她每天都在家里，哪儿也不去。有的时候到附近商店买一点儿东西，也是很快就回来。她每天都不离[3]开家，因为她在等儿子的电话，等儿子[1]回来。虽然她不知道儿子[1]什么时候能回来。

　　刘新远晚上休息不好，每天睡觉的时间只有两三个小时，常常，她一睡觉就好像看见了儿子[1]，不是看见他玩电脑游戏[5]，就是[7]看到他生病了，发烧、头疼……或者儿子[1]叫坏人打了。有一次，她好像看见儿子[1]站在那里，手里拿着一个苹果，也不吃。旁边有个小狗，儿子[1]的头让人打坏

29. 哭 kū: cry

了，身上有很多血[30]。她非常着急，想过去看看儿子[1]，可是，儿子[1]的眼睛冷冷的，对她说："你别过来！我不想和你说什么！"就在她快要跑到儿子[1]旁边的时候，儿子[1]骑自行车跑远了。刘新远哭[29]着，跑着，一紧张就一下坐起来了，这时候，她的眼睛已经哭[29]得红红的了。

儿子[1]到哪里去了呢？要去多长时间呢？他从来[31]没有一个人离[3]开过家，他不会做饭，不会照顾[32]自己，他没有拿多少钱，最多就是[7]他自己有的3000多元，能用多长时间？他每

---

30. 血 xiě: blood
31. 从来 cónglái: ever
32. 照顾 zhàogù: look after, take care of

天吃什么？喝什么？住哪儿？钱花 ³³完了怎么办？想借钱都没有地方借啊！再说 ²⁷，生了病怎么办？天气不好怎么办？见到了坏人怎么办？学坏了怎么办？他的学习怎么办？过几个月就是 ⁷ 冬天，天冷了怎么办？问题太多了，麻烦太多了，怎么办？怎么办？

刘新远打儿子 ¹ 的手机，他的手机一直关着，每天打，每天都关着。她知道，儿子 ¹ 真的不高兴了，不会接妈妈的电话了。

刘新远希望有人来电话，她想知道儿子 ¹ 在哪里，她想听到儿子 ¹ 说话，她想让他早一点儿回来；她又怕有人来电话，怕听到儿子 ¹ 出事 ²²。所以，她一听到电话响 ³⁴ 就紧张，觉得是儿子 ¹ 打来的。可是，每次都不是，每次她都没有办法让自己高兴。

刘新远知道自己错了，她知道不应该跟儿子 ¹ 说很重 ¹³ 的话，不应该说"不用我管 ¹⁰？你离 ³ 开我一天都不行"，那些话说得太重 ¹³ 了。

儿子 ¹ 说"我不信 ¹¹，就是 ⁷ 不

33. 花(钱) huā(qián): spend
34. 响 xiǎng: (sound) ring

信 [11]"的时候，不该说"不信 [11] 你就试试 [12]"。这就等于 [35] 叫儿子 [1] 离 [3] 开家。

刘新远觉得，她还是不懂儿子 [1]。

她现在每天在家就是 [7] 收拾房间，除了收拾房间还是收拾房间。好像除了收拾房间，她的生活里就没有更有意思的事了。

她家里当然很干净。

她儿子 [1] 的房间还跟原来一样，房间里有篮球、足球，运动衣服、衬衫、裤子，行李，她儿子一定很喜欢运动。

11 月 20 号，是儿子 [1] 的生日。过去，每年到这一天，刘新远很早就起来，给儿子 [1] 做他最喜欢吃的菜，最喜欢吃的饭，放上儿子 [1] 最爱喝的，给儿子 [1] 过生日。今天，又是儿子 [1] 的生日，刘新远做了很多好吃 [36] 的饭菜，看着儿子 [1] 的照片，她哭 [29] 着说："大水啊大水，妈妈很想你，你快点儿回来吧。妈妈的眼睛都要哭 [29] 坏了。"

儿子 [1] 离 [3] 家出走 [2]，刘新远非常着急 [6]，好像生活没有了希望，她一下

35. 等于 děngyú: equal to
36. 好吃 hǎochī: tasty, delicious

子老了很多，她觉得生活很累、很难。

现在，我们来看看，<u>李大水</u>离³家出走²后做了什么？

这是个公园，公园里有花有草有树，风景很漂亮。

<u>李大水</u>在这里玩儿了一天，很高兴。

他离³开家，没有大人³⁷在旁边，没有妈妈不停地说他，没有老师让他学习，这真是太好了！

再也不用去学校，再也不用到教室，再也不用上课，再也不用写字，再也不用学历史，再也不用用词典，

37. 大人 dàrén：adult

再也不用复习，再也不用考试……以前不想做的事都不用做了，他想到哪里玩儿就到哪里玩儿，想玩儿多长时间就玩多长时间。

他多快乐啊！他从来[31]没有这样快乐过。 5

在公园里他看风景，慢慢地走，慢慢地看，好漂亮的风景啊！累了他就休息一会儿。然后再看，看累了就唱歌，唱累了就再看，他喜欢这样 10 的生活，他觉得自己长大了，应该

15

自由 ³⁸ 了。

天黑了。李大水觉得时间过得太快了，玩儿的时间太短了。

晚上 7 点，公园里的人已经很少了，李大水有点累，他在公园里找了个地方坐下来，想休息一下再走。他听着音乐，听着听着就睡着了。这时候，公园里一个扫地 ³⁹ 的阿姨注意到了他。她慢慢地走到他旁边，看见李大水睡得挺舒服，她在旁边看了他一会儿，就往前走了。刚走了不远，她又回来，走到李大水旁边，对他说："喂！孩子，别睡觉了，该回家了！"李大水听到有人叫他，睁开 ⁴⁰ 了眼睛，看见是个阿姨，他马上站起来，对阿姨说："好！好！谢谢！谢谢！"就往公园外走。

公园晚上已经没有人了……他觉得有点冷。

38. 自由 zìyóu: be free; freedom
39. 扫地 sǎo dì: sweep the floor
40. 睁开 zhēngkāi: open (eyes)

　　今天晚上住哪里？

　　不知道为什么，他回过头，又看了看那个阿姨。从那个阿姨他想到了自己的妈妈……

Want to check your understanding of this part?

Go to the questions on page 57.

3. 在北京，妈妈家不换电话号码[41]
在外边，儿子[1] 想给妈妈打电话

一天上午，刘新远生病了，感冒发烧，到医院看医生，刚回家就听到有人敲门。

"阿姨，您好！"门外站的是一个先生。

"请问你是……"

"我是电话局[42]的。有点儿事想和您说说。"

"请进。"

客人进来以后坐在客厅里，刘新远问他喝不喝茶?客人说不客气,喝水就可以。刘新远就给他一瓶水。这个先生喝了一点儿，对刘新远说：

"我是电话局[42]的，我们电话局[42]离[3]这里不远。您家的电话号码[41]最后是三个 8，有人很喜欢这个号码[41]，

---

41. 号码 hàomǎ：(code) number
42. 电话局 diànhuàjú：telephone exchange

想买，他会给您很多钱。所以我来问问您，能不能把您的电话号码 41 卖给那个人，我们会给您家换一个新号码 41。您可以告诉我，您想要多少钱?"

他刚说完，刘新远就很快地说："不，不，我不换。" 5

"为什么?"那个先生问。

"不为什么，我就是 7 不换。"

"那个人可以给您很多钱。"

"给多少钱也不换。"

"您知道，能给这么多钱的人真 10 的不多。除了这个先生，以后怕没有这样的好机会了。"

"多少钱我也不卖，我只要原来

19

的电话号码[41]。"

"换一个电话号码[41]也不影响[8]您打电话，又能给您不少钱，为什么不换？"

"对不起，我这个人不爱钱！"

"不爱钱？这太有意思了，现在哪儿还有您这样的人？"

电话局[42]的先生没办法，就走了。

我们再来看看李大水。

李大水就这样旅行，从一个地方到另一个地方。在有山有水的地方玩儿，开始觉得不错，挺有意思，很快乐。不过，上午玩儿，下午玩儿；今天玩儿，明天玩儿；从这个地方进来，从那个地方出去，几天以后，也觉得没有意思了。再说[27]，唱歌时间长了，跳舞时间长了，游泳时间长了，玩儿的时间长了，也都很累。在这些城市，他没有同学，没有朋友，只有他一个人玩儿，就觉得没有意思了。

这个时候，他常常坐在一个地方想自己的教室：同学们坐在教室里，眼睛看着老师，老师正在上课，问一个问题，说一个故事，有的时候还开

个玩笑，把全班同学都说得笑了。多
高兴、多有意思啊！他有一些时候没
有上课了，他有点想上课了。他有一
些时候没有看见老师和同学了，他也
很想他们，特别是他喜欢的一些朋友。 5
不知道他们现在怎么样了？还有他的
足球队 43，他走了以后又来新人了吗？
跟三二班的足球比赛怎么样了？和三
五班的篮球比赛怎么样？班里的很多
事，李大水现在都想知道…… 10

---

43. 队 duì: queue, team

再说 ²⁷，每天在外边的饭馆儿 ⁴⁴
吃饭，他想吃妈妈做的饭了。每天在
外边住，他觉得没有家里干净、舒服、
方便、暖和。

在外边吃、住、玩，都不便宜，
钱也没有多少了。他觉得自己这样长
时间在外边生活有问题。没有钱，吃
什么？住哪里？不用说坐飞机，就是 ⁷
坐火车、公共汽车也要买票啊！没有
钱怎么办？可是再也不能找妈妈要了，
也没有地方借，<u>李大水</u>觉得离 ³ 开家
生活太不容易了。他晚上睡不好觉了。

他开始想家了，也有点儿想妈妈
了。一天，他给家里打了个电话，他
听到妈妈说"喂、喂、哪里"，他很想
说"妈妈，是我"。可是，他又觉得不
好意思和妈妈说话……他慢慢地把电
话放下了。

44. 饭馆儿 fànguǎnr: restaurant

Want to check your understanding of this part?
Go to the questions on page 58.

4. 在北京，妈妈和老同学见面后很快就想回家 在外边，儿子当⁴⁵服务员洗碗真的很累很难

刘新远高中⁴的老同学们很长时间没有见面了。虽然大家都在北京，不过因为有的在城市西边，有的在城市东边，有的在城市北边，有的在城市南边，有的在离³这个城市很远的地方，所以大家不常见面。现在大家想见面，可是有的人生病住医院了，有的人要去学校上课学习，还有的人打算出去旅行、参观，找一个大家都合适的时间不太容易。还有，下雨的时候不行，天太热不行，天太冷也不行。就这样，今天等到明天，明天等到后天，春天等到夏天，夏天等到冬天，差不多等了两年，才定⁴⁶了一个见面的时间。

45. 当 dāng：work as
46. 定 dìng：set (time, schedule, etc.)

　　那一天见面，<u>刘新远</u>也参加了。
她很想见见四十多年没见过的老同学。
早上她很早就起床了，穿得很漂亮。
上面穿一件红衣服，下边穿着黑裤子，
红衣服里边穿着白衬衫。

　　她家离³见面的饭店很远，骑自
行车太累，她是坐公共汽车去的。她
的高中⁴同学和老师早饭后就到了。
大家都穿得很漂亮，见面也很高兴。
因为很多年不见，不少人都不认识了。
不少同学见面叫不出名字来⁴⁷。

　　这时候，一个先生向<u>刘新远</u>走过
来。

　　"喂! 请问您贵姓?"

47. 叫不出名字来 jiào bu chū míngzi lai：cannot remember other's name

"不客气，我姓刘。"

"你是?"

"我是刘新远。"

"啊，刘新远! 不好意思。好久不见了!"

"没关系。"

"你跟过去不一样了。"

"我老了吧?"

"不，你比上学¹⁴的时候更漂亮了!"

"谢谢!"

"你是?"

刘新远也叫不出来这个先生的名字。

那个先生介绍了他自己以后，刘新远也觉得不好意思了。

"我怎么会不认识你了呢? 这是怎么了?"

"没关系，我们四十年没见面了。"

"真有意思!"

同学们笑着，介绍着、欢迎着、客气着。这个说她漂亮，那个说他帅⁴⁸，还有的说老同学的衣服好看。他们还说了很多自己工作时候有意思的

48. 帅 shuài: handsome

事和自己孩子的事。时间不长，大家就觉得好像又回到了上高中[4]的时候。

过了一会儿，同学们开始唱歌、跳舞。大家正玩儿得高兴的时候，<u>刘新</u>

<u>远</u>要走，同学们都很不高兴。

"<u>新远</u>，你为什么这么快就要走？我们刚看见你。"

"<u>新远</u>，一会儿就吃午饭了，吃完午饭再走吧。"

"<u>新远</u>，你是不是不舒服了？"

"<u>新远</u>，有什么不方便吗？还是累了？"

"<u>新远</u>，我们还没有照照片呢！"

同学们说了很多，不让她走，有

的同学还哭²⁹了。刘新远也不想走，她也哭²⁹了。

　　但是，她还是走了，她怕儿子¹来电话。

　　因为没有钱，李大水不能玩了，他只能找工作挣⁴⁹钱。

　　他现在在北京西北 500 公里的一个城市的饭馆儿⁴⁴里当⁴⁵服务员。

　　他的工作是在厨房洗碗。早上 7 点钟上班⁵⁰，晚上 11 点钟下班⁵¹，吃三次饭用一个半小时，一天工作十四个半小时，他在这里工作了三个月，

49. 挣 zhèng：make (money)
50. 上班 shàng bān：go to work
51. 下班 xià bān：get off from work

因为太忙、太累，给的钱又少，就不想做了。

他找到厨房经理 [52] 说：

"我不想在这里工作了。"

"为什么？"

"我想妈妈。"

"这么大了还想妈妈？不行！"

"什么，想妈妈还不行？"

"是的，不行！！"

"我一定要走。"

"你就是 [7] 不能走！"

李大水从这个时候开始，不工作也不吃饭。过了两天，他发烧了。公司没办法，就让他走了。李大水去拿钱，他工作了三个月，应该给他 1800 元，可是公司只给他 1600 元。

"说好了每个月 600 元，为什么少给 200 元？"李大水问。

"你洗碗的时候是不是洗坏了两个？"

"是的。"

"一个碗 100 元。"

"什么？一个碗 100 元？！"

"我们公司就是 [7] 这样，1600 元你

52. 经理 jīnglǐ: manager

要不要？过五分钟不要就给你 1400
元；再过五分钟不要就给你 1200 元。"

没办法，李大水就拿了 1600 元。
李大水还想说什么，过来了两个男人，
把他"请"出去了。

李大水特别不高兴，他想，要是
妈妈在，会找他们饭馆儿 44 经理 52 的。

Want to check your understanding of this part?
Go to the questions on page 59.

5. 在北京，妈妈为了[24]儿子不换房子在外边，儿子没工作只能要饭[53]

刘新远正在睡觉。

她今天不舒服，上午去医院看病了。大夫说她发烧，是感冒，不要紧张。她拿了点药就回家了，药很便宜。刚上床休息，就有人来了。　　5

"请问，谁呀？"

"阿姨，我们公司是卖房子的。"那人很客气。

"有事吗？我正在休息，今天不舒服。"　　10

"对不起，那我后天再来，再见。"

又过了两天，那个人又来了。他说他们公司是卖房子的，他们公司很大，可以在中国买卖房子，还可以在外国买卖房子，以后在美国和一些别　　15的[18]国家也会有他们的公司。

---

53. 要饭 yào fàn: beg
54. 敲门 qiāo mén: knock on the door

　　"要是您觉得方便，我看看您的房
子可以吗？"这个先生很客气地问。

　　刘新远想了想，好像没有什么不
方便，就让他看了。

5 　　这个先生先到刘新远家外边，前
边、后边看了看，又看了看房子的上
边、下边，看了很长时间。回到屋子 55
里，又到客厅、卧室、厨房看了又看，
一边 56 点头 57 一边说："可以，可
10 以。"然后在客厅里和刘新远谈了起
来。

　　"阿姨，我们公司很喜欢您家这块
地方，想买您的房子。您要多少钱？"

---

55. 屋子 wūzi：house, room
56. 一边……一边…… yìbiān…yìbiān…：do something while do another thing
57. 点头 diǎn tóu：nod

"我不卖。"

"我们公司可以多给您一些钱。"

"我不卖。给多少钱我都不卖。"

"如果您不想卖房子，我们公司可以用很漂亮的小楼和您换。"

"我也不换。"

那个先生好像没有听到刘新远说的话，又说："您喜欢住在北京的什么地方都可以。我们在北京很多地方都有房子，有的有漂亮的风景，有山有水有公园；有的房子出门坐车很方便；有的房子到银行、商店很近，买报纸、杂志，看书、看电影都很方便。现在请您坐我的车，在北京跑一跑，看一看，很快就回来。"

还没等刘新远说话，那个先生就把她请到门口 58，门口 58 已经有一辆车在等着。刘新远上了车，车就开了。

"好极了，阿姨，您一定要好好儿 9 看看。我们一起到有名的、风景好的地方，找最漂亮的小楼看看。"

他们在北京跑了一下，看了一些有名的、漂亮的房子。很快就回到了

58. 门口 ménkǒu：doorway

33

刘新远的家。

　　这个先生问："怎么样，阿姨，您喜欢哪里的房子?"

　　"都不喜欢。"

5 　　"那么多漂亮的房子，您都不喜欢?"

　　"是的，都不喜欢。"

　　"那些房子很贵啊，有的比您家的房子贵很多，您真的不愿意换?"

10 　　"贵多少也不换。"

　　"您不想换就把房子卖给我们吧，我们愿意再多给您一些钱。"

　　"不，我不换也不卖，我不想搬家。"

这个先生从来 [31] 没有见过像刘新远这样不喜欢钱的人，没办法，他只能说再见了。

我们再说说李大水。 [5]

从那家饭馆儿 [44] 出来，李大水又到另外一个城市住了半年多。

在那里他卖过报纸、杂志，在商店工作过，在书店工作过，在医院帮过病人。时间都不长，这些工作不是 [10] 太累，就是 [7] 挣 [49] 钱太少。

卖报纸、杂志要自己找地方住，挣的钱还不够吃、住。

在商店做营业员 [59]，做的事多，挣的钱太少。 [15]

在书店工作，事太少，书店不管 [10] 吃、住，不能生活。

在医院帮病人，给的钱不少，但是白天 [60] 晚上都不能休息，太累了。一个月他瘦 [61] 了很多，他觉得再做下 [20] 去自己也要病了，要别的 [18] 人帮自己了，所以就不做了。

---

59. 营业员 yíngyèyuán：salesperson
60. 白天 báitiān：daytime
61. 瘦 shòu：skinny

后来，李大水又到了另外一个城市，他想那里挣⁴⁹钱会多一点。谁知道，他刚下火车，身上的 600 元钱就不见了。身上没有一分钱，晚上只能在一个书店的门口⁵⁸睡觉。天很冷很冷，书店的人不让他在门口⁵⁸睡觉，他就住火车站⁶²，他没有钱，就跟别的¹⁸人要钱，他变成了一个要饭⁵³吃的人！

李大水快要生活不下去⁶³了。这时候，他想起了一年多前离³开家的时候的事。

那一天妈妈重重¹³地说了李大水，他很不高兴，就想离³开家。第二天，他带着自己的银行卡⁶⁴，卡里有 3000多元钱，准备离³家出走²。他好想飞啊！他觉得他长大了，再也不用妈妈管¹⁰了。他不知道自己应该到哪里去，他买了一张星期一从北京到另外一个城市的火车票，他早就听说那里非常漂亮，还有好多好吃³⁶的东西，他想到那个地方好好儿⁹玩玩。

62. (火车)站 (huǒchē) zhàn: (train) station
63. 生活不下去 shēnghuó bu xiàqù: cannot live
64. 卡 kǎ: card

　　星期一早上，他像每天一样吃完早饭离³开了家。妈妈以为他上学¹⁴去了，可是他去了北京火车站⁶²。没有人注意他，李大水关了手机，怕妈妈和同学、老师找他。

　　第二天早上，他下了火车，特别高兴地在这个风景漂亮的城市玩儿了三天。

　　从这以后他就到处⁶⁵旅行，一直到玩儿累了，钱没了，觉得玩儿得没有意思了。

　　没有了钱以后，就更麻烦了，生

5

10

65. 到处 dàochù: everywhere

活更难了，找到的工作都是又累又苦，挣[49]的钱又很少……

这是他离[3]开妈妈，离[3]开家的时候没有想到的。

Want to check your understanding of this part?
Go to the questions on page 59.

6. 在北京，妈妈为了[24]儿子不去旅行在外边，儿子生病差一点[66]死了

刘新远的公司打算请过去在公司工作过的人到南方[67]一个有名的地方去旅行，自己不用花[33]钱。一共要去15天，去5个地方。汽车票、火车票、飞机票公司都给买，到机场的车票都给买好了。吃饭也是公司花[33]钱。现在时间也好，不早不晚，不冷不热，挺暖和。这些地方都是中国最漂亮的地方，都是她早就想去，但是还没有去过的地方。

周末的晚上，已经很晚了，刘新远还坐在床上没有睡觉。工作的时候的一些事像电影一样，她好像都能看见。

1975 年，她刚开始和先生在一起生活的时候，她就对他说："我们应

66. 差一点 chà yìdiǎn: almost
67. 南方 nánfāng: southland

39

该去旅行，到一些有名的、漂亮的地
方看看。"可是，那时候他们钱少，不
能去。

　　1988年，公司带大家到很好的地
方去旅行，因为有很多工作等着她做，
她没有去。

　　1998年，公司又一次带大家到很
远的地方去旅行，因为要去的人多，
能去的人少，她想，还是让比自己老
的人先去吧，那次她又没有去。

　　她常常想，这些工作的时候就很
想去的地方，什么时候才能真的去看
看呢？

　　公司请已经不工作的老人们去旅
行，这是第一次。她那么喜欢旅行，

这次要去的地方都是她没有去过的，她很想去。大概以后这么好的事不多了，所以真的不能再不去了。

她想啊想，想了一晚上。早上，她对自己说："还是不能走，如果儿子¹这几天回来呢！"

早上起床以后，刘新远一看时间已经是上午 8 点 30 分，她马上打电话，把自己不打算去旅行的事告诉了公司。

妈妈因为等儿子¹没有去旅行，那么，儿子¹现在怎么样了呢？

因为没有工作，李大水没有地方吃饭，没有地方住，他感冒发烧了。他的脸⁶⁸很红很红，身上很热，他站不起来了，24 小时没吃饭，没喝水。这时候，他很想给妈妈打电话，可是，他几次拿出手机又放下。又过了很长时间，他觉得自己快要不行了，才拿出手机，先打了 13800138000，还不错，手机里还有 5 元钱，够给妈妈打一次电话了。他把电话打到家里，只

68. 脸 liǎn: face

响 ³⁴ 了一声，他又把手机关上了。他还是不好意思找妈妈，因为他对妈妈说过"我要是不比现在好就不回来"。现在，他没有工作，没有钱吃饭，没有地方住，什么都跟别的 ¹⁸ 人要，像现在这样，怎么跟妈妈说呀！

那两天，他差一点就死在火车站 ⁶² 外边。

第三天，他好一些了，就慢慢起来，走到路旁边一家小商店，里面有一个姑娘，卖吃的东西。他走近了一些，姑娘问："你要点什么？"李大水笑了笑，没有说话。姑娘又问他："你要点什么？"李大水还是笑了笑，没有说话。姑娘见他好像有什么话不好意思说，就问："你有什么事吗？"李大水慢慢地说："不好意思，我没有钱了，又感冒、发烧，两天没吃东西了，能不能……"姑娘上下 ⁶⁹ 看了看他，拿了一瓶水，一个面包 ⁷⁰ 给了他，李大水又高兴又不好意思，说了几次谢谢，才慢慢走了。他刚出门，

---

69. 上下 shàngxià: up and down
70. 面包 miànbāo: bread

就很快地吃起面包来……几年以后他
还常常会想起帮助过他的那个姑娘，
常常想起她那个小商店。在李大水的
眼里，那里是非常漂亮的风景。

Want to check your understanding of this part?
Go to the questions on page 60.

7. 在北京，妈妈想儿子¹
在外边，儿子¹想妈妈

为了²⁴等儿子¹回来，刘新远除了买东西，一分钟都不离³开家：不在外边住；不出去旅行；不换房子；不换电话号码⁴¹；不出去唱歌；不出去跳舞；不去图书馆看书；不去饭店吃饭；不去游泳；除了那次同学见面，她不出去见朋友；她就这样每天在家等儿子¹。她等了快两年。儿子¹又长了两岁，她也老了两岁。

一天晚上，10点15分，刘新远正在床上看电视，因为太累了，就睡着了。刚睡着她就好像看见儿子¹回来了。

她好像看见自己正在家收拾房间，有人来了。这么晚了，谁会来呢？刘新远在门里问：

"谁呀？"

"妈，我，大水！"

"我儿子¹回来了，我儿子¹回来了，大水真的回来了！"

刘新远高兴得跳⁷¹了起来。她马上去开门，儿子¹一进门，她就哭²⁹了起来："儿子¹啊，你上哪里去了，妈妈想你呀！"

李大水也哭²⁹着说：

"妈妈，儿子¹也想您，很对不起您……"

刘新远马上到厨房给儿子¹做饭，还准备热水让他洗澡⁷²。她一边⁵⁶做饭一边唱歌，唱的是"春天的故事"。

时间不长，她就做好了几个菜，她把菜放到桌子上，对正在洗澡⁷²的儿子¹说：

"这是妈妈欢迎你呢，知道吗？妈妈好高兴啊！"

李大水洗完澡⁷²出来，高兴地说："谢谢妈妈！谢谢妈妈！"

刘新远拿出了红酒："大水，妈妈知道你喜欢喝红酒，过去妈妈不让你多喝，今天，妈妈太高兴了，我们

71. 跳 tiào: jump
72. 洗澡 xǐ zǎo: have a bath

一起喝一点儿吧!"

李大水打开红酒,给妈妈倒⁷³了

一点,双手送给妈妈,自己也倒了一
点儿,他们喝得很快乐!

5 "大水,吃菜,你很长时间没有
吃妈妈做的菜了。"

"是呀,妈妈做的菜最好吃³⁶,没
有谁比妈妈做的菜更好吃³⁶了。"李大
水说。他们吃得很高兴。

10 刘新远看着儿子¹吃饭,觉得非
常高兴,就问儿子¹出走²以后的事。
谁知道,儿子¹一听就不高兴了,他
不客气地说:"怎么了?又问这些
事?"他马上站起来就跑了,刘新远就

73. 倒 dào: pour

出去找，可是一出门，儿子¹就又找不到了。

她一紧张，就醒⁷⁴了。

刚才的事，又不是真的……

再说<u>李大水</u>。

<u>李大水</u>又找到一个小饭馆儿⁴⁴洗碗，因为除了洗碗，别的¹⁸他都不会做。他现在特别想妈妈，好像一天也不能等了，他想马上就看见妈妈。妈妈的身体一直不怎么好，自己走了快两年了，妈妈的身体现在怎么样了？他觉得很对不起妈妈……

他不想再在外边了，他想回家，想回到妈妈那儿，妈妈一定很高兴，他们好久不见了。什么好意思不好意思，<u>李大水</u>现在不想这些了，他只想快一点儿回到家，见到妈妈。他给家里打电话，想告诉妈妈他要回家，电话通⁷⁵了，可是没人接。妈妈做什么去了？他后来又打过两次，还是没人接。妈妈怎么了？他有点儿怕了。他觉得应该马上回家。

74. 醒 xǐng：wake up
75. 通 tōng：(telephone) get through

他到商店想给妈妈买一点儿礼物，他买了一件黑红黄三种颜色的衣服，还有一双鞋 76。他想，妈妈穿上一定很合适，很漂亮。妈妈把他带大不容易，特别是爸爸离 3 开他们以后，她又当 45 妈妈，又当 45 爸爸，很累很累

的。自己一走就那么长时间，很对不起妈妈。这一次，他回家就是 7 要让妈妈高兴。这时候，李大水好像已经回到了家，好像已经见到了妈妈。他高兴极了。

李大水真的长大了，他想，他回家以后要对妈妈特别好。每天早上早一点儿起床，出去买菜，在妈妈还没

76. 鞋 xié：shoes

48

有起床的时候就去厨房做好饭，妈妈吃饭的时候，他就去收拾客厅。妈妈吃过饭后，他就去洗碗。他什么都做，不用妈妈说。

李大水想，爸爸早走了，我就是⁷妈妈最爱的人，是妈妈的朋友，也是妈妈的希望。以后，我和妈妈说话要很客气，有事要告诉妈妈，听听妈妈怎么说。妈妈看见我这样，一定会说，我儿子¹真的长大了。

李大水还想，回家以后，他还要到学校看看老师和同学，虽然他不可能再在这个学校上学¹⁴了。但是他要对学校的老师说："是我不好，我要对老师和学校说对不起！"

李大水还想上学¹⁴，想找一家电脑学校，先好好儿⁹学学电脑，然后工作，再上大学。他再也不长时间地玩电脑游戏⁵了。他觉得，就是⁷因为长时间地玩电脑游戏⁵，才让妈妈不高兴，他才出走²了两年。他以后再也不那样玩了。

Want to check your understanding of this part?
Go to the questions on page 60.

8. 儿子¹长大了

6月16日上午，李大水买了回北京的火车票。晚上，他带着给妈妈买的衣服和鞋，很高兴地上了火车。他想，再有几个小时，就能看见妈妈了。

6月17日早上6点，李大水从北京火车站⁶²下车后，就很快地跑到公共汽车站⁶²，坐上了回家的汽车。他觉得车好像开得很慢很慢……到了家，

大门关着。李大水就叫：

"妈妈！妈妈！我回来了，开门。"

里面没有人说话。

"妈妈！妈妈！我是大水！我回来了。快开门!"

里面还是没有人说话。

这么早，妈妈做什么去了？是早上起来跳舞去了？妈妈过去有这个习惯。或者，买菜去了？李大水坐在门前等了一会，妈妈还是没有回来，就去问住在旁边的人：

"奶奶，您看见我妈妈了吗？她做什么去了?"

"啊！你回来了？孩子，快点儿去医院吧！你妈妈前几天发烧住进新新医院了。"

"谢谢奶奶!"

李大水一下子就紧张起来了，马上往新新医院跑，这个医院离³他家不太远。他跑到医院，这时候，有个医生走过来。

"医生，我妈妈问题大吗?"

"你妈妈叫什么名字?"

"刘新远。"

"啊，她发烧，吃了一些药，现在好一点儿了，刚做完 CT。前几天，她刚进医院的时候病得很重，我们都很紧张！知道吗，你妈妈发烧的时候一直在叫'儿子¹'、'儿子¹'呢！"

"妈妈！妈妈！"

听见医生这样说，李大水哭²⁹起来，他很快地跑过去看妈妈。刘新远病得很重，可是一听见儿子¹叫她，马上睁开⁴⁰眼睛，高兴地说：

"儿——子，你——回——来了，太——好——了！妈妈想你呀！"

妈妈的脸又白又黄，非常不好看。

"妈妈，儿子¹对不起您啊！我不应该不告诉您就一个人出走²，是我不好。妈妈，我以后再也不这样了！"

"好孩子，妈妈也有不对的地方，妈妈以后也不那样说你了！"

李大水一直在医院，给妈妈打水⁷⁷、洗脸、买饭，七天以后，妈妈不发烧了。十五天后，妈妈回到了家里。刘新远穿上儿子¹买的衣服和鞋，非常高兴。

77. 打水 dǎ shuǐ: fetch water

现在，李大水长大了。

他天天帮妈妈买菜做饭，收拾客厅、厨房、卧室。他再也不长时间地玩电脑游戏了，他每天看书，还想再去上学¹⁴。

李大水现在懂了：有一些东西，你有它的时候，可能不觉得好；可是没有了，才知道没有它不行。

Want to check your understanding of this part?
Go to the questions on page 60-61.

To check your vocabulary of this reader,
go to the questions on page 62.

To check your global understanding of this reader,
go to the questions on page 63.

生词索引
Vocabulary index

1	儿子	érzi	son
2	出走	chūzǒu	run away (from home)
3	离(家)	lí(jiā)	leave (home)
4	高中	gāozhōng	senior high school
5	游戏	yóuxì	game
6	着急	zháo jí	be anxious, worry
7	就是(不)	jiùshì(bù)	still (not)
8	影响	yǐngxiǎng	affect, influence
9	好好儿	hǎohāor	all out
10	管	guǎn	discipline, educate, control
11	信	xìn	believe, trust
12	试试	shìshi	have a try
13	重(话)	zhòng(huà)	harsh (words)
14	上学	shàng xué	go to school
15	纸	zhǐ	paper
16	电影院	diànyǐngyuàn	movie theater
17	警察	jǐngchá	policeman
18	别的	biéde	other
19	院子	yuànzi	courtyard
20	留下来	liú xialai	hand down (as heritage)
21	开车	kāi chē	drive (car)
22	出事	chū shì	have an accident, meet with a mishap
23	疼(儿子)	téng(érzi)	be keen on, dote on
24	为了	wèile	for the sake of; in order to
25	想不到	xiǎng bu dào	do not expect

26	叔叔	shūshu	uncle
27	再说	zàishuō	besides
28	蒙太奇	méngtàiqí	montage
29	哭	kū	cry
30	血	xiě	blood
31	从来	cónglái	ever
32	照顾	zhàogù	look after, take care of
33	花(钱)	huā(qián)	spend
34	响	xiǎng	(sound) ring
35	等于	děngyú	equal to
36	好吃	hǎochī	tasty, delicious
37	大人	dàrén	adult
38	自由	zìyóu	be free; freedom
39	扫地	sǎo dì	sweep the floor
40	睁开	zhēngkāi	open (eyes)
41	号码	hàomǎ	(code) number
42	电话局	diànhuàjú	telephone exchange
43	队	duì	queue, team
44	饭馆儿	fànguǎnr	restaurant
45	当	dāng	work as
46	定	dìng	set (time, schedule, etc.)
47	叫不出名字来	jiào bu chū míngzi lai	cannot remember other's name
48	帅	shuài	handsome
49	挣	zhèng	make (money)
50	上班	shàng bān	go to work
51	下班	xià bān	get off from work
52	经理	jīnglǐ	manager
53	要饭	yào fàn	beg
54	敲门	qiāo mén	knock on the door

55	屋子	wūzi	house, room
56	一边……	yìbiān…	do something while do
	一边……	yìbiān…	another thing
57	点头	diǎn tóu	nod
58	门口	ménkǒu	doorway
59	营业员	yíngyèyuán	salesperson
60	白天	báitiān	daytime
61	瘦	shòu	skinny
62	(火车)站	(huǒchē) zhàn	(train) station
63	生活不下去	shēnghuó bu xiàqù	cannot live
64	卡	kǎ	card
65	到处	dàochù	everywhere
66	差一点	chà yìdiǎn	almost
67	南方	nánfāng	southland
68	脸	liǎn	face
69	上下	shàngxià	up and down
70	面包	miànbāo	bread
71	跳	tiào	jump
72	洗澡	xǐ zǎo	have a bath
73	倒	dào	pour
74	醒	xǐng	wake up
75	通	tōng	(telephone) get through
76	鞋	xié	shoes
77	打水	dǎ shuǐ	fetch water

练 习
Exercises

1. 儿子 [1] 出走 [2] 了 (p.1)

   根据故事选择正确答案。Select the correct answer for each of the questions.

   (1) 妈妈疼 [23] 儿子 [1] 吗？

   　　a. 很疼 [23]，她想的只有儿子 [1]

   　　b. 不疼 [23]，她想的只有自己

   (2) 儿子 [1] 的爸爸呢？

   　　a. 死了　　　　　　　　b. 在别的 [18] 地方工作

   (3) 妈妈为什么每天说儿子 [1]？因为他

   　　a. 常常买很贵的衣服　　b. 只玩电脑游戏 [5]，不学习

   (4) 妈妈说儿子 [1]，他听吗？

   　　a. 听　　　　　　　　　b. 不听

   (5) 儿子 [1] 为什么离家 [3] 出走 [2]？因为妈妈

   　　a. 说了很重 [13] 的话　　b. 打他了

2. 在家里，妈妈哭 [29] 红了眼睛
   在外边，儿子 [1] 玩得很高兴 (p.10)

   根据故事选择正确答案。Select the correct answer for each of the questions.

   (1) 儿子 [1] 出走 [2] 以后，妈妈每天做什么？

   　　a. 出去找儿子 [1]　　　b. 在家里等儿子 [1] 回来

   (2) 儿子 [1] 的手机怎么了？

   　　a. 开着，但是没人接　　b. 一直关着

(3) 儿子 ¹ 生日那天, 妈妈做了什么?

    a. 做了很多好吃 ³⁶ 的饭菜等儿子 ¹

    b. 在电视上对儿子 ¹ 说生日快乐

(4) 儿子 ¹ 出走 ² 以后生活得快乐吗?

    a. 快乐, 因为他想怎么玩儿就怎么玩儿

    b. 不快乐, 因为他没钱

3. 在北京, 妈妈家不换电话号码 ⁴¹

在外边, 儿子 ¹ 想给妈妈打电话 (p.18)

根据故事选择正确答案。 Select the correct answer for each of the questions.

(1) 电话局 ⁴² 的人为什么来找妈妈? 因为

    a. 她家的电话有问题

    b. 有人想买她家的电话号码 ⁴¹

(2) 儿子 ¹ 在外边的生活怎么样?

    a. 刚开始很快乐, 后来觉得没意思

    b. 越来越快乐, 因为他找到一个工作

(3) 儿子 ¹ 为什么给妈妈打了电话可是不说话? 因为

    a. 他怕妈妈说他   b. 他觉得不好意思

(4) 儿子 ¹ 开始想家了吗?

    a. 是的, 他想家了   b. 不是, 他不想家

4. 在北京,妈妈和老同学见面后很快就想回家

在外边,儿子 [1] 当 [45] 服务员洗碗真的很累很难 (p.24)

根据故事选择正确答案。Select the correct answer for each of the questions.

(1) 妈妈和老同学的见面怎么样?

    a. 很好,大家玩得很高兴

    b. 不太好,来的人都忘了妈妈是谁

(2) 为什么妈妈很快就想回家? 因为:

    a. 同学们知道了她的儿子 [1] 离家 [3] 出走 [2]

    b. 她怕儿子 [1] 来电话

(3) 儿子 [1] 为什么不做服务员了? 因为

    a. 这个工作不太好

    b. 他找到更好的工作了

(4) 经理 [52] 少给儿子 [1] 钱,儿子 [1] 做什么了?

    a. 打了经理 [52]   b. 没办法,只好走了

5. 在北京,妈妈为了 [24] 儿子 [1] 不换房子

在外边,儿子没工作只能要饭 [53] (p.31)

下面的说法哪个对,哪个错? Mark the correct ones with "T" and incorrect ones with "F".

(1) 卖房子的公司想让妈妈买他们的房子。   (　)

(2) 儿子 [1] 的生活越来越难。   (　)

(3) 儿子 [1] 觉得那个城市的工作不好,就去了另外一个

    城市。   (　)

(4) 儿子 [1] 在火车站 [62] 让人打了。   (　)

(5) 儿子 [1] 的 600 块钱让人偷了。   (　)

(6) 儿子 [1] 变成了一个要饭 [53] 吃的人。   (　)

6. 在北京,妈妈为了儿子¹不去旅行

   在外边,儿子生病差一点⁶⁶死了 (p.39)

   下面的说法哪个对,哪个错?Mark the correct ones with "T" and incorrect ones with "F".

   (1) 因为妈妈去过那个要旅行的地方,所以她不想去。　　　(　)

   (2) 儿子¹生病的时候,车站的一个小姑娘照顾了他。　　　(　)

   (3) 儿子¹接到了妈妈的电话,可是他不敢和妈妈说话。　　　(　)

   (4) 一个商店的小姑娘给了儿子¹一些吃的和喝的。　　　(　)

7. 在北京,妈妈想儿子¹

   在外边,儿子¹想妈妈 (p.44)

   下面的说法哪个对,哪个错? Mark the correct ones with "T" and incorrect ones with "F".

   (1) 妈妈梦见儿子¹回来了。　　　(　)

   (2) 儿子¹给妈妈买了礼物。　　　(　)

   (3) 儿子¹给妈妈打电话是想让她给他钱回家。　　　(　)

   (4) 儿子¹觉得妈妈对不起他。　　　(　)

   (5) 儿子¹想回家以后,让妈妈好好⁹照顾³²他。　　　(　)

9. 儿子¹长大了 (p.50)

   根据故事选择正确答案。Select the correct answer for each of the questions.

   (1) 儿子¹到家的时候,妈妈怎么不在?

   　　a. 她生病了在医院　　　b. 她出去工作了

   (2) 儿子¹见到妈妈,说了什么?

   　　a. "妈妈,你以后对儿子¹好一点!"

   　　b. "妈妈,儿子¹对不起您啊!"

(3) 儿子 [1] 现在对妈妈好吗?

    a. 好   b. 不好

(4) 儿子 [1] 还想做什么?

    a. 再去他出走 [2] 的时候去过的城市工作

    b. 再去上学 [14]

(5) 这个故事告诉我们什么?

    a. 我们要对爱自己的人好一些

    b. 我们要让爱自己的人更爱自己

词汇练习 Vocabulary exercises

选词填空 Fill in each blank with the most appropriate word

a. 忘　　b. 应该　　c. 找不到　　d. 差　　e. 关

(1) 儿子 ¹ 的功课一天比一天_____。

(2) 李大水一玩电脑游戏 ⁵，就把学习的事_____了。

(3) 妈妈说李大水是学生，_____好好 ⁹ 学习。

(4) 在北京的东南西北，妈妈找了很多地方，但是都_____儿子。

(5) 妈妈打儿子的手机，可是他的手机一直_____着。

a. 哭 ²⁷ 坏　　b. 开玩笑　　c. 感冒　　d. 当　　e. 洗坏

(1) 儿子在一个公司里_____服务员。

(2) 儿子走了以后，妈妈每天哭 ²⁷，眼睛就要_____了。

(3) 儿子的老师上课的时候有时还_____。

(4) 儿子_____了两个碗。

(5) 李大水没有地方吃饭，没有地方住，他就_____发烧了。

a. 不好意思　　b. 换　　c. 怕　　d. 接　　e. 睡着

(1) 为了 ²⁴ 等儿子回来，妈妈不_____房子和电话号码 ⁴¹。

(2) 儿子_____找妈妈，因为他对妈妈说过"我要是不比现在好就不回来"。

(3) 儿子听着音乐，听着听着就_____了。

(4) 儿子给家里打电话，电话通 ⁷⁵ 了，可是没人_____。

(5) 李大水_____妈妈和老师、同学找他，关了手机。

综合理解 Global understanding

根据整篇故事选择正确的答案。Select the correct answer for each of the gaped sentences in the following passage.

李大水是一个高中 4 学生。他（a. 只玩电脑不学习　b. 和坏人在一起），所以妈妈每天说他。有一天晚上，妈妈因为这个事情（a. 说了很重 13 的话　b. 打了他），李大水就离家 3 出走 2 了。

李大水走了以后，妈妈很怕。她（a. 一分钟都不离开家 3，等儿子 1 回来　b. 到不同的城市去找儿子 1）。可是谁也不知道儿子 1 在哪儿。

李大水（a. 从北京去了另外的地方　b. 来到了北京）。他玩了一些时间，觉得（a. 很自由 38 快乐　b. 很想家）。可是后来他没钱了，他只好（a. 在饭馆里洗碗　b. 在商店做营业员 59）挣 49 钱，可是这个工作又累钱又少，所以他去了另外一个城市。在那个城市，他的工作（a. 也不好　b. 还可以），后来他又去了另外一个城市。在那里，他的钱不见了，而且（a. 别人还打了他　b. 生病了），他越来越（a. 想好好 9 工作让妈妈看看　b. 想回家）。外边的生活让李大水长大了，他觉得（a. 对不起妈妈　b. 妈妈对不起他），他要回家看妈妈。

李大水回到了家，可是妈妈因为（a. 生病　b. 开车 21 的时候出了事）进医院了。他对妈妈说对不起，妈妈也对他说对不起。从那儿以后，他对妈妈（a. 很好　b. 还是不好），还想再去上学 14。

练习答案

Answer keys to the exercises

1. 儿子 [1] 出走 [2] 了
   (1) a (2) a (3) b (4) b (5) a

2. 在家里，妈妈哭 [27] 红了眼睛
   在外边，儿子 [1] 玩得很高兴
   (1) b (2) b (3) a (4) a

3. 在北京，妈妈家不换电话号码 [41]
   在外边，儿子 [1] 想给妈妈打电话
   (1) b (2) a (3) b (4) a

4. 在北京，妈妈和老同学见面后很快就想回家
   在外边，儿子 [1] 当 [45] 服务员洗碗真的很累很难
   (1) a (2) b (3) a (4) b

5. 在北京，妈妈为了 [24] 儿子 [1] 不换房子
   在外边，儿子 [1] 没工作只能要饭 [53]
   (1) F (2) T (3) T (4) F (5) T (6) T

6. 在北京，妈妈为了儿子 [1] 不去旅行
   在外边，儿子 [1] 生病差一点 [66] 死了
   (1) F (2) F (3) F (4) T

7. 在北京,妈妈想儿子[1]

   在外边,儿子[1]想妈妈

   (1) T   (2) T   (3) F   (4) F   (5) F

8. 儿子长[1]大了

   (1) a   (2) b   (3) a   (4) b   (5) a

词汇练习 Vocabulary exercises

(1) d   (2) a   (3) b   (4) c   (5) e

(1) d   (2) a   (3) b   (4) e   (5) c

(1) b   (2) a   (3) e   (4) d   (5) c

综合理解 Global understanding

李大水是一个高中⁴学生。他（a. 只玩电脑不学习　b. 和坏人在一起），所以妈妈每天说他。有一天晚上，妈妈因为这个事情（a. 说了很重¹³的话　b. 打了他），李大水就离家³出走²了。

李大水走了以后，妈妈很怕。她（a. 一分钟都不离开家³，等儿子¹回来　b. 到不同的城市去找儿子¹）。可是谁也不知道儿子¹在哪儿。

李大水（a. 从北京去了另外的地方　b. 来到了北京）。他玩了一些时间，觉得（a. 很自由³⁸快乐　b. 很想家）。可是后来他没钱，他只好（a. 在饭馆里洗碗　b. 在商店做营业员⁵⁹）挣⁴⁹钱，可是这个工作又累钱又少，所以他去了另外一个城市。在那个城市，他找的工作（a. 也不好　b. 还可以），所以他又去了另外一个城市。在那里，他的钱不见了，而且（a. 别人还打了他　b. 生病了），他越来越（a. 想好好⁹工作让妈妈看看　b. 想回家）。外边的生活让李大水长大了，他觉得（a. 对不起妈妈　b. 妈妈对不起他），他要回家看妈妈。

李大水回到了家，可是妈妈因为（a. 生病　b. 开车²¹的时候出了事）进医院了。他对妈妈说对不起，妈妈也对他说对不起。从那儿以后，他对妈妈（a. 很好　b. 还是不好），还想再去上学¹⁴。

为所有中文学习者（包括华裔子弟）编写的

第一套系列化、成规模、原创性的大型分级
轻松泛读丛书

《汉语风》（*Chinese Breeze*）分级系列读物简介

　　《汉语风》（*Chinese Breeze*）是一套大型中文分级泛读系列丛书。这套丛书以"学习者通过轻松、广泛的阅读提高语言的熟练程度，培养语感，增强对中文的兴趣和学习自信心"为基本理念，根据难度分为 8 个等级，每一级 8—10 册，共 60 余册，每册 8,000 至 30,000 字。丛书的读者对象为中文水平从初级（大致掌握 300 个常用词）一直到高级（掌握 3,000—4,500 个常用词）的大学生和中学生（包括修美国 AP 课程的学生），以及其他中文学习者。

　　《汉语风》分级读物在设计和创作上有以下九个主要特点：

　　一、等级完备，方便选择。精心设计的 8 个语言等级，能满足不同程度的中文学习者的需要，使他们都能找到适合自己语言水平的读物。8 个等级的读物所使用的基本词汇数目如下：

第 1 级：300 基本词	第 5 级：1,500 基本词
第 2 级：500 基本词	第 6 级：2,100 基本词
第 3 级：750 基本词	第 7 级：3,000 基本词
第 4 级：1,100 基本词	第 8 级：4,500 基本词

　　为了选择适合自己的读物，读者可以先看看读物封底的故事介绍，如果能读懂大意，说明有能力读那本读物。如果读不懂，说明那本读物对你太难，应选择低一级的。读懂故事介绍以后，再看一下书后的生词总表，如果大部分生词都认识，说明那本读物对你太容易，应试着阅读更高一级的读物。

　　二、题材广泛，随意选读。丛书的内容和话题是青少年学生所喜欢的侦探历险、情感恋爱、社会风情、传记写实、科幻恐怖、神话传说等等。学习者可以根据自己的兴趣爱好进行选择，享受阅读的乐趣。

　　三、词汇实用，反复重现。各等级读物所选用的基础词语是该等级的学习者在中文交际中最需要最常用的。为研制《汉语风》各等级的基础词表，《汉语风》工程首先建立了两个语料库：一个是大规模的当代中文书面

语和口语语料库，一个是以世界上不同地区有代表性的40余套中文教材为基础的教材语言库。然后根据不同的交际语域和使用语体对语料样本进行分层标注，再根据语言学习的基本阶段对语料样本分别进行分层统计和综合统计，最后得出符合不同学习阶段需要的不同的词汇使用度表，以此作为《汉语风》等级词表的基础。此外，《汉语风》等级词表还参考了美国、英国和中国内地、台湾、香港等所建的10余个当代中文语料库的词语统计结果。以全新的理念和方法研制的《汉语风》分级基础词表，力求既具有较高的交际实用性，也能与学生所用的教材保持高度的相关性。此外，《汉语风》的各级基础词语在读物中都通过不同的语境反复出现，以巩固记忆，促进语言的学习。

四、易读易懂，生词率低。《汉语风》严格控制读物的词汇分布、语法难度、情节开展和文化负荷，使读物易读易懂。在较初级的读物中，生词的密度严格控制在不构成理解障碍的1.5%到2%之间，而且每个生词（本级基础词语之外的词）在一本读物中初次出现的当页用脚注做出简明注释，并在以后每次出现时都用相同的索引序号进行通篇索引，篇末还附有生词总索引，以方便学生查找，帮助理解。

五、作家原创，情节有趣。《汉语风》的故事以原创作品为主，多数读物由专业作家为本套丛书专门创作。各篇读物力求故事新颖有趣，情节符合中文学习者的阅读兴趣。丛书中也包括少量改写的作品，改写也由专业作家进行，改写的原作一般都特点鲜明、故事性强，通过改写降低语言难度，使之适合该等级读者阅读。

六、语言自然，地道有味。读物以真实自然的语言写作，不仅避免了一般中文教材语言的枯燥和"教师腔"，还力求鲜活地道。

七、插图丰富，版式清新。读物在文本中配有丰富的、与情节内容自然融合的插图，既帮助理解，也刺激阅读。读物的版式设计清新大方，富有情趣。

八、练习形式多样，附有习题答案。读物设计了不同形式的练习以促进学习者对读物的多层次理解；所有习题都在书后附有答案，以方便查对，利于学习。

九、配有录音光盘，两种语速选择。各册读物所附光盘上的故事录音（MP3格式），有正常语速和慢速两个语速选择，学习者可以通过听的方式轻松学习、享受听故事的愉悦。

《汉语风》建有专门网站，网址为 www.hanyufeng.com（英文版 www.chinesebreeze.com.cn）。请访问该网站查看《汉语风》各册的出版动态，购买方式，可下载的补充练习，以及对教师和学生的使用建议等信息。

ABOUT Hànyǔ Fēng (*Chinese Breeze*)

Hànyǔ Fēng (*Chinese Breeze*) is a large and innovative Chinese graded reader series which offers over 60 titles of enjoyable stories at eight language levels.   It is designed for college and secondary school Chinese language learners from beginning to advanced levels   (including AP Chinese students), offering them a new opportunity to read for pleasure and simultaneously developing real fluency,   building confidence,   and increasing motivation for Chinese learning. Hànyǔ Fēng has the following main features:

☆ Eight carefully graded levels increasing from 8,000 to 30,000 characters in length to suit the reading competence of first through fourth-year Chinese students:

Level 1: 300 base words	Level 5: 1,500 base words
Level 2: 500 base words	Level 6: 2,100 base words
Level 3: 750 base words	Level 7: 3,000 base words
Level 4: 1,100 base words	Level 8: 4,500 base words

To check if a reader is at one's reading level,   a learner can first try to read the introduction of the story on the back cover.   If the introduction is comprehensible,   the leaner will have the ability to understand the story. Otherwise the learner should start from a lower level reader. To check whether a reader is too easy for oneself, the learner can skim Vocabulary (new words) Index at the end of the text.   If most of the words on the new word list are familiar to the learner, then she/ he should try a higher level reader.

☆ Wide choice of topics, including detective, adventure, romance, fantasy, science fiction, society, biography, legend, horror, etc. to meet the diverse interests of both adult and young adult learners.

☆ Careful selection of the most useful vocabulary for real life communication in modern standard Chinese. The base vocabulary used for writing each level was generated from sophisticated computational analyses of very large written and spoken Chinese corpora as well as a language databank of over 40 commonly used or representative Chinese textbooks in different countries.

☆ Controlled distribution of vocabulary and grammar as well as the deployment of story plots and cultural references for easy reading and efficient learning, and highly recycled base words in various contexts at each level to maximize language development.

☆ Easy to understand, low new word density, and convenient new word glosses and indexes. In lower level readers, new word density is strictly limited to 1.5% to 2%. All new words are conveniently glossed with footnotes upon first appearance and also fully indexed throughout the texts as well as at the end of the text.

☆ Mostly original stories providing fresh and exciting material for Chinese learners (and even native Chinese speakers).

☆ Authentic and engaging language crafted by professional writers teamed with pedagogical experts.

☆ Fully illustrated texts with appealing layouts that facilitate understanding and increase enjoyment.

☆ Including a variety of activities to stimulate students' interaction with the text and answer keys to help check for detailed and global understanding.

☆ Audio CDs in MP3 format with two speed choices (normal and slow) accompanying each title for convenient auditory learning.

Please visit the Chinese Breeze (Hànyǔ Fēng) website at www. chinesebreeze.com.cn (or www.hanyufeng.com for its Chinese version) for all the released titles, purchase information, downloadable supplementary exercises, and suggestions about how to integrate Hànyǔ Fēng (Chinese Breeze) readers into your Chinese language teaching or learning.

《汉语风》系列读物其他分册内容简介
Other *Chinese Breeze* titles

　　《汉语风》全套共 8 级 60 余册,自 2007 年 11 月起由北京大学出版社陆续出版。下面是已经出版或近期即将出版的各册简介。请访问《汉语风》专门网站 www.hanyufeng.com (英文版 www.chinesebreeze.com.cn) 或北京大学出版社网站 (www.pup.cn) 关注最新的出版动态。

　　Hànyǔ Fēng (*Chinese Breeze*) series consists of over 60 titles at eight language levels. They are to be published in succession since November 2007 by Peking University Press. For most recently released titles, please visit the *Chinese Breeze* (*Hànyǔ Fēng*) website at www.chinesebreeze.com.cn (or www.hanyufeng.com for its Chinese version) or the Peking University Press website at www.pup.cn.

第 1 级:300 词级

Level 1: 300 Word Level

错,错,错!

Wrong, Wrong, Wrong!

　　6 月 8 号,北京。一个漂亮的小姐在家里死了,她身上有一封信,说:"我太累了,我走了。"下面写的名字是"林双双"。双双有一个妹妹叫对对,两人太像了,别人都不知道哪个是姐姐,哪个是妹妹……死了的小姐是双双, 对对到哪里去了? 死了的小姐是对对,为什么信上写的是"林双双"?

　　June 8. Beijing. A pretty girl lies dead on the floor of her luxury home. A slip of paper found on her body reads, "I'm tired. Let me leave..." At the bottom of the slip is a signature: Lin Shuang-shuang.

　　Shuang-shuang has a twin-sister called Dui-dui. The two girls look so similar that others can hardly tell who's who. Is the one who died really Shuang-shuang? Then where is Dui-dui? If the one who died is Dui-dui as someone claimed, then why is the signature on the slip Lin Shuang-shuang?

两个想上天的孩子
Two Children Seeking the Joy Bridge

"叔叔，在哪里买飞机票？"

"小朋友，你们为什么来买飞机票？要去旅行吗？"

"不是。""我们要到天上去。"

……

这两个要买飞机票的孩子，一个7岁，一个8岁。没有人知道，他们为什么想上天？这两个孩子也不知道，在他们出来以后，有人给他们的家里打电话，让他们的爸爸妈妈拿钱去换他们呢……

"Sir, where is the air-ticket office?"

"You two kids come to buy air-tickets? Are you gonna travel somewhere?"

"Nope." "We just wanna go up to the Joy Bridge."

"The Joy Bridge?"

...

Of the two children at the airport to buy air-tickets, one is 7 and the other is 8. Beyond their wildest imaginings, after they ran away, their parents were called by some crooks who demanded a ransom to get them back!...

- -

我一定要找到她……
I Really Want to Find Her...

那个女孩太漂亮了，戴伟、杰夫和秋田看到了她的照片，都要去找她！照片是老师死前给他们的，可是照片上的中国女孩在哪儿？他们都不知道。最后，他们到中国是怎么找到那个女孩的？女孩又和他们说了什么？

She is really beautiful. Just one look at her photo and three guys, Dai-wei, Jie-fu and Qiu-tian, are all determined to find her! The photo was given to them by their professor before he died. And nobody knows where in China the girl is. How can the guys find her? And what happens when they finally see her?

我可以请你跳舞吗?
Can I Dance with You?

一个在银行工作的男人,跟他喜欢的女孩子刚认识,可是很多警察来找他,要带他走,因为银行里的一千万块钱不见了,有人说是他拿走的。

但是,拿那些钱的不是他,他知道是谁拿的。可是,他能找到证据吗? 这真太难了。还有,以后他还能和那个女孩子见面吗?

A smart young man suddenly gets into big trouble. He just fell in love with a pretty girl, but now the police come and want to arrest him. The bank he works for lost 10 million dollars, and the police list him as a suspect.

Of course he is not the robber! He even knows who did it. But can he find evidence to prove it to the police? It's all just too much. Also, will he be able to see his girlfriend again?

- -

向左向右
Left and Right: The Conjoined Brothers

向左和向右是两个男孩子的名字, 爸爸妈妈也不知道向左是哥哥还是向右是哥哥,因为他们连在一起,是一起出生的连体人。他们每天都一起吃,一起住,一起玩。他们常常都很快乐。有时候,弟弟病了,哥哥帮他吃药,弟弟的病就好了。但是,学校上课的时候,他们在一起就不方便了……

Left and Right are two brothers. Even their parents don't know who is older and who is younger, as they are Siamese twins. They must do everything together. They play together, eat together, and sleep together. Most of the time they enjoy their lives and are very happy. When one was sick, the other helped his brother take his medicine and he got better. However, it's no fun anymore when they sit in class together but one brother dislikes the other's subjects...

你最喜欢谁?
——中关村故事之一
Whom Do You Like More?
The First Story from Zhongguancun

谢红去了外国,她是方新真爱的人,可是方新不想去外国,因为他要在中关村做他喜欢的工作。小月每天来看方新,她是真爱方新、也能帮方新的人,可是方新还是想着谢红。方新真不知道应该怎么办……

Xie Hong, Fang Xin's true love, has gone abroad to fulfill her dream. But Fang Xin only wants to stay in Zhongguancun in Beijing doing work that he enjoys. Xiao-yue comes to visit Fang Xin every day. She is the one who really understands Fang Xin. She loves him and can offer him the help that he badly needs. But only Xie Hong is in Fang Xin's mind. What should Fang Xin do? He seems to be losing his way in life...

第 2 级:500 词级
Level 2: 500 Word Level

电脑公司的秘密
——中关村故事之二
Secrets of a Computer Company
The Second Story from Zhongguancun

方新写了一个很好的软件 (ruǎnjiàn: software),没想到这个软件被人盗版 (dàobǎn: be pirated) 了。做盗版的是谁?他找了很久也没有找到。直到有一天,小月突然发现了这里的秘密 (mìmì: secret)。她把这个秘密告诉了方新。但是,就在这个时候,做盗版的人发现了小月,要杀死 (shāsǐ: kill) 她……

Fang Xin was the developer of a popular software program. But he did not anticipate that the software was soon pirated for sale in large volumes. He had been searching for the pirates for a long time, but did not find them. One day, his wife Xiaoyue overheard a phone conversation in a store. She followed the caller and discovered the pirates. Nevertheless, Xiaoyue didn't think that she was already on the brink of death...

- -

我家的大雁飞走了
Our Geese Have Gone

25 年前,村里的人们还不知道大雁 (yàn: wild goose) 是应该保护 (bǎohù: protect) 的动物 (dòngwù: animal)。爷爷最会打雁,打了大雁拿到城里,卖了钱给我上学。

可是,有一天,爷爷没有打到雁,因为雁队里有了一只很聪明的头雁 (tóuyàn: lead goose)。在头雁带着雁队要飞走的时候,一只鹰 (yīng: eagle) 飞了过来,飞向一只小雁!

鹰太大了,头雁和鹰打了一会儿,伤 (shāng: injure) 得很重。爷爷帮助头雁,打走了鹰,让头雁住在家里。头雁的女朋友也来找它了。最会打雁的爷爷有了两个大雁朋友……

Twenty-five years ago, people in my village did not know that wild geese should be under protection from hunting. Among the hunters, my grandpa was the best. He brought the geese he shot back to town and sold them to pay for my schooling.

However, grandpa did not shoot one single goose on that day. It was all because of the vigilant lead goose in the flock. But at the moment when the flock was flying away, an eagle came. The eagle was hungry for young geese and pounced on one! The lead goose fought and fought with the eagle. But the eagle was too strong, and the lead goose was injured.

Without hesitation, grandpa repelled the eagle away. He brought the wounded lead goose home and took good care of it. Before long, the lead goose's mate flew over to join him in our home. Grandpa, the best hunter of wild geese, now had two goose friends...

青凤
Green Phoenix

耿 (Gěng) 家的旧房子很长时间没人住了。不知道为什么,房子的门常常自己开了,又自己关上,看不见有人进去,也没看见有人出来,但是到了晚上,就能听见里面有人说话和唱歌。一天晚上,耿去病 (Gěng Qùbìng) 看到旧房子的楼上有亮光 (liàngguāng: light),他就慢慢地进到房子里,走上楼。他看见那里坐着一个漂亮姑娘,还有她的家人。耿去病很喜欢那个姑娘,他想知道那姑娘是谁,他们从哪里来,为什么住在他家的旧房子里。可是,他怎么也想不到以后出了那些事……

The old house of the Geng family has been uninhabited for years. But recently the doors of the house open and close without anyone going in or out. And at night one can hear people talking and singing inside.

One dark evening, Geng Qubing sees light shining from the attic of the house. He slips into the house, and sees a pretty girl sitting with her family in the attic. Deeply attracted to the girl, Geng Qubing is determined to find out who she is, where her family is from, and why they live in his old house. But what eventually takes place is a shock for him!

- -

如果没有你
If I Didn't Have You

黄小明是个小偷 (xiǎotōu: pickpocket)。他很会偷 (tōu: steal) 东西,但是他只偷很有钱的人,钱少的人他不偷,也不让别的小偷偷他们。大学生夏雨 (Xià Yǔ) 的钱包被偷走了,他帮助夏雨要了回来;有个小偷偷了一位老奶奶的钱包 (qiánbāo: wallet),他把钱包从那个小偷那里偷回来,送回到老奶奶的衣服里……

黄小明爱上了夏雨。有一次,黄小明偷了一个特别有钱的人。可是,这个钱包给他带来了大麻烦! 黄小明不知道应该怎么办,夏雨帮助了他。

可是，小偷黄小明能得到大学生夏雨的爱吗？

Xiaoming is a pickpocket. He is really good at stealing. But he only steals from rich people. He never touches those who are poor, and doesn't let other thieves steal from poor people either.

Xia Yu is a college freshman. She lost her purse at a railway station. Xiaoming got the purse back for her from the thief. Another time, a thief stole an old woman's wallet on a bus. Xiaoming stole the wallet back from the thief and put into the lady's jacket unobserved. More surprisingly, when Xiaoming is falling in love with Xia Yu, he lands into a big trouble after stealing a wallet from a very rich man.

Will Xiaoming the pickpocket win the love of Xia Yu, a pretty college student?

- -

出事以后
After the Accident

一个冬天的晚上，女老师在路上骑着自行车，她要回家，却突然倒（dǎo: fall）在了一辆汽车前面。开车的人马上停车，把女老师送到了附近的医院，拿出一些钱，请医生给女老师看病。

"病人叫什么名字？""她怎么了？""你是她的家人吧？"……医生有很多问题，可是开车的人什么也不回答，很快就走了。但是，医生最后还是找到了他，女老师也找到了他。

One winter night, a teacher was on her way home. Suddenly she fell down from her bicycle in front of a car. The driver stopped his car right away and brought the teacher to a hospital nearby.

"The patient's name, please?" "What's the problem?" "How long has it been?" "Are you her relative?"... The nurse asked quite a few questions. But the driver answered nothing except leaving some money on the desk. He then quickly disappeared.

In the end, however, the hosptial found him, and the teacher saw the driver as well.

一张旧画

An Old Painting

旧画儿商店的老爷爷又一次把那张旧画儿拿起来，从上看到下，从左看到右，再慢慢拿高一点儿，好好地又看了几分钟。看着看着，他的眼睛一点一点地变大了。他看着站在边上的傻小，一个收破烂的孩子："孩子，我给你钱！给你很多很多的钱，够你家的人用一百年——你把画儿卖给我！"

可是，傻小说："对不起，老爷爷，这画儿我不能卖……"

In the art dealer's shop, the old gentleman picked up the old painting once again. He looked it up and down, left and right. He held it up, contemplating it for a few minutes. His eyes opened wider and wider. Finally, he turned to Shaxiao, the Little Silly, a rag boy who stood nearby, and said: "Sell this painting to me. I'll pay a lot of money, enough for your family to live on for a hundred years!"

Surprisingly, Shaxiao replied, "Sir, I'm sorry. But I can't sell it to you..."